# Parábolas de Jesus

Jesus pregava em todos os lugares por onde passava: nas casas, nos montes, nas praças, sinagogas, praias. Seus ensinamentos eram ouvidos por uma multidão que O seguia onde quer que fosse. Todos admiravam Sua sabedoria. Jesus ensinava através de histórias: as chamadas parábolas. Ele assim ensinava:

### Parábola da Semente de Mostarda

— O reino de Deus é como o grão de mostarda, a menor de todas as sementes, mas, plantada, cresce e se torna a maior de todas as hortaliças e em seus ramos se aninham as aves do céu.

## Parábola do Semeador

— O semeador saiu a semear. E, quando semeava, uma parte da semente caiu à beira do caminho e vieram as aves e comeram-na.

Outra parte caiu entre as pedras, onde logo brotou porque a terra não era funda. Mas, vindo o sol, queimou-se e secou completamente porque não tinha raiz. Outra caiu entre espinhos e estes cresceram e sufocaram a semente. Outra caiu em boa terra e deu frutos.

A semente que caiu à beira do caminho representa a pessoa que ouve a palavra de Deus, mas não a compreende. Então vem o Mal e arranca o que foi semeado no coração.

A que foi semeada entre as pedras é como a pessoa que ouve a palavra e a recebe com alegria, mas sua fé não tem resistência e vindo dificuldades e perseguições, desanima.

A que foi semeada entre espinhos é o que ouve a palavra, mas as riquezas, a vaidade e as preocupações com esta vida impedem de frutificar.

Mas a semente que caiu em boa terra é o que ouve, compreende a palavra e a pratica. Esse dá bons frutos.

## Parábola da Ovelha Perdida

— Um pastor tem 100 ovelhas e perde uma delas. O que ele faz? Ele deixa as 99 e vai procurar a ovelha perdida até encontrá-la. Achando-a, fica muito contente, coloca-a nos ombros e a leva para casa.

Chegando, reúne amigos e vizinhos e diz:

— Alegrem-se comigo, pois achei a minha ovelha perdida.

Assim também haverá alegria no céu por um pecador que se arrepende do que 99 justos que não precisam se arrepender.

# Parábola do Filho Pródigo

Um homem tinha dois filhos. O filho mais novo chegou para o pai e disse:

— Pai, dê a minha parte da herança.

E o pai deu. Poucos dias depois, o filho mais novo pegou tudo o que tinha e partiu para um lugar distante e lá gastou toda a sua herança, vivendo do jeito que queria, só em festas e com pessoas sem juízo.

Tendo gastado tudo, houve naquela terra uma grande fome e ele começou a padecer necessidade. Conseguiu uma ocupação: cuidar de porcos. Ele sentiu muita fome e desejou comer a comida dos porcos, mas ninguém lhe deu nada. Então pensou: "Quantos empregados de meu pai têm fartura e eu aqui morrendo de fome". Decidiu, então, voltar para casa.

Quando ainda estava longe na estrada, seu pai o viu. Aquele homem amava seu filho de todo coração, correu ao encontro do filho, abraçou-o e o beijou.

E o filho disse: — Pai eu errei, já não sou digno de ser chamado seu filho, faça de mim como um de seus empregados.

Mas o pai disse aos seus empregados:

— Tragam as melhores roupas e vistam meu filho, coloquem um anel em seu dedo e sandálias em seus pés. Quero também o bezerro mais gordo para comer e me alegrar com meu filho. Vamos fazer uma grande festa. Meu filho estava morto e agora reviveu. Estava perdido e agora foi achado. Assim é Deus: como um pai amoroso que recebe com alegria o seu filho quando volta.

# Jesus

Com a idade aproximada de trinta anos, Jesus iniciou o seu ministério. Foi batizado por João Batista no rio Jordão e logo depois foi levado pelo Espírito Santo para ser tentado pelo Mal.

Jesus jejuou durante quarenta dias e quarenta noites e, no fim desse período, ele teve fome. O Mal, então, disse:

— Se você é o Filho de Deus, ordene que esta pedra se transforme em pão.

Jesus respondeu:

— Está escrito: "Não só de pão viverá o homem, mas de toda a palavra que vem da boca de Deus".

Então, o Mal levou Jesus até o alto da torre do templo e disse: — Se você é o Filho de Deus, se atire daqui, porque está escrito: "Aos seus anjos dará ordem a seu respeito para que O guardem".

Jesus respondeu: — Também está escrito: "Não tentarás o Senhor Deus".

O Mal ainda mais uma vez tentou. Levou Jesus até um monte muito alto e de lá mostrou todos os reinos do mundo e lhe disse:

— Tudo isso será seu, se você se inclinar e me adorar.

Então, Jesus falou:

— Vá embora! Porque está escrito: "Somente ao Senhor Deus devemos adorar".

Ouvindo isso, o Mal se retirou e os anjos vieram para servir a Jesus.

Caminhando pela praia do mar da Galileia, Jesus viu dois irmãos: Pedro e André, que lançavam as redes ao mar, porque eles eram pescadores. Jesus os chamou e fez o convite:

— Sigam a mim e eu farei de vocês pescadores de almas. — Chamou também a Tiago e João, Felipe, Bartolomeu, Tomé, Mateus, o outro Tiago, filho de Alfeu, Tadeu, Simão e Judas Iscariotes, que foi o traidor. Esses são os doze apóstolos. E Jesus começou a pregar por toda a Galileia. Subiu ao monte e passou a ensinar:

— Bem-aventurados os humildes de espírito, porque deles é o reino de Deus.

— Bem-aventurados os que choram, porque eles serão consolados.

— Bem-aventurados os mansos, porque herdarão a terra.

— Bem-aventurados os que têm fome e sede de justiça, porque eles serão saciados.

— Bem-aventurados os misericordiosos, porque eles alcançarão misericórdia.

— Bem-aventurados os limpos de coração, porque eles verão a Deus.

— Bem-aventurados os pacificadores, porque serão chamados filhos de Deus.

— Bem-aventurados os perseguidos por causa da justiça, porque deles é o reino dos céus.

E as pessoas levaram algumas crianças para que Jesus pudesse abençoá-las. Os discípulos procuravam impedir que elas chegassem até Jesus, achando que elas incomodariam o Mestre.

Jesus, porém, disse:

— Deixem que as crianças venham ao meu encontro, porque delas é o reino de Deus.

Então, abriu os braços, recebeu com carinho todas as crianças e as abençoou. Um jovem muito rico, ao ver Jesus demonstrar tanta atenção e amor, aproximou-se e perguntou:

— Mestre, o que eu devo fazer para ser salvo?

Jesus respondeu:

— Guarde os mandamentos de Deus: não roube, não mate, honre seu pai e sua mãe...

O jovem interrompeu Jesus, dizendo:

— Já faço isso desde pequeno. — Então, Jesus falou:

— Se você quiser ser perfeito, venda seus bens, doe para os pobres e siga-me. — O jovem, ao ouvir esta palavra, retirou-se, triste. Por ser muito rico, achou muito sacrifício, preferiu ficar com as riquezas. Certa ocasião, um homem de nome Zaqueu soube que Jesus estava em sua cidade, Jericó. Ele tentou ir ao encontro do Mestre, porém a multidão não deixou e como ele era um homem de pequena estatura não conseguia ver Jesus.

Então, ele subiu numa árvore para ver Jesus. Jesus, passando embaixo das árvores, olhou para cima e disse: — Zaqueu, desça depressa, pois hoje eu ficarei na sua casa. — Espantado de o Mestre saber até o seu nome, prontamente desceu e o recebeu com muita alegria.

Zaqueu tinha fama de ser desonesto e não era visto com bons olhos por muita gente. Ao ouvir os ensinamentos de Jesus, arrependeu-se de tudo que tinha feito e disse: — Mestre, darei metade dos meus bens aos pobres e restituirei quatro vezes mais qualquer pessoa que tenha prejudicado.

Jesus disse: — Muito bem, Zaqueu! Hoje veio salvação para sua vida e seu lar, comece uma vida nova. — Novamente, Jesus voltou a ensinar dizendo para a multidão que o seguia: — Venham a mim todos os que estão cansados e oprimidos e eu os aliviarei. Aprendam de mim, que sou humilde e manso, e encontrarão descanso para suas almas.

Um dia, Jesus estava ensinando no templo quando os sacerdotes queriam testá-lo. Fizeram as seguintes perguntas: — Está certo pagarmos impostos para os romanos? — Nessa época, Israel era dominada pelos romanos.

Jesus, então, disse: — Tragam-me uma moeda.

Jesus pegou a moeda, olhou a figura que nela estava e perguntou: — De quem é a imagem que está na moeda?

— De César — responderam.

— Então, dê a César o que é de César (ou seja, o dinheiro) e a Deus o que é de Deus (ou seja, a nossa fé e o nosso louvor). — Em outra ocasião, foi a vez de Pedro perguntar para Jesus:

— Quantas vezes devo perdoar o meu irmão? Até sete vezes?

Jesus respondeu: — Sete vezes não, Pedro. Setenta vezes sete é o quanto devemos perdoar. Depois de um certo tempo, Jesus levou Pedro, João e Tiago até o alto de um monte para orar. Chegando lá, Jesus se transformou: seu rosto resplandecia e suas vestes também.

Apareceram ao lado de Jesus, Moisés e Elias. Então, logo depois, uma nuvem os envolveu e ouviu-se a voz do Senhor Deus, falando: — Este é meu Filho Amado, ouçam a Sua Palavra. — Através desse fato, os discípulos entenderam que Jesus era o Cristo, o Salvador, que veio para salvar a humanidade.